ANDRÉ KERTÉSZ

1969

ANDRÉ KERTÉSZ

Les Instants d'une Vie

BOOKK*ing*
international

Photographie © 1982 par André Kertész
Texte © 1982, 1993 par Key Porter Books Limited, Toronto
© 1993 Bookking International Paris pour le texte en français

Titre original : *A Lifetime of Perception*
Traduction : Florence Curt

ISBN 2-87714-184-5

Imprimé et relié en Espagne

INTRODUCTION

A la fin de l'année 1936, un fonctionnaire du gouvernement français rend visite à André Kertész dans son appartement de Montparnasse. «La France», dit le visiteur, «désire reconnaître la contribution artistique que ce photographe hongrois de quarante-deux ans a apportée au pays dans lequel il vit depuis 1925: accepterait-il une citoyenneté honorifique?» Mais Kertész est sur le point de partir pour New York pour une année de travail dans une agence d'illustration photographique américaine. Touché, il promet que lorsqu'il rentrera à Paris, il fera savoir immédiatement au gouvernement français quand il acceptera cette récompense.

A New York, Kertész est d'abord négligé, puis exploité par ses employeurs. Quand il décide de rompre son contrat avec eux pour travailler en indépendant, les éditeurs et les directeurs artistiques rejettent ses images comme trop éloquentes ou trop modernes. Quelques temps plus tard, l'Europe est à deux doigts de la guerre; Kertész reste à New York et continue à travailler en marge de la profession qu'il a contribué à créer. Quand les Etats-Unis entrent en guerre, Kertész doit se faire enregistrer comme «étranger ennemi», on lui déconseille officiellement de faire des photographies dans les rues et ceci élimine en fait l'un des sujets les plus importants de son art. De plus, les commissaires d'expositions et les galeristes ont du mal à concilier son art et leurs idées sur le style. Kertész, soustrait progressivement des yeux du public, lutte désespérémment pendant toute la guerre. En 1947, il abandonne le reportage photographique et rejoint l'équipe des éditions Condé Nast: pendant quatorze ans, il gagnera sa vie en produisant des intérieurs médiocres pour *House and Garden*. En 1944, il devient citoyen américain et il retournera en Europe seulement en tant que visiteur.

Depuis le début de sa vie aux Etats-Unis, bien qu'il soit négligé par le monde de l'art américain, Kertész continue à travailler dans le style qui l'a fait reconnaître comme l'un des plus grands photographes européens. Cet effort prend peu à peu des proportions héroïques. En effet, Kertész est en train de créer une seconde vie artistique. La reconnaissance finit par revenir, sous forme d'expositions, de subventions, de publications et d'honneurs, spécialement après son départ de chez Condé Nast en 1964. Il se consacre alors entièrement à son art.

Ce livre, pour la première fois, attache autant d'importance aux deux carrières, européenne et américaine, de Kertész. Il décrit le propre sentiment de Kertész, toujours en évolution, sur le sens qu'il donne à son art par rapport à lui-même, depuis sa jeunesse jusqu'à la fin de sa vie.

Kertész achète son premier appareil photographique à Budapest en 1912, à l'âge de dix-huit ans. C'est un petit outil primitif que l'on tient dans la main, avec lequel il commence à faire des photographies basées sur l'observation directe de la vie quotidienne. Son inspiration est conventionnelle: des scènes de genre (des gravures sur bois ou des lithographies) dans des magazines illustrés populaires et familiaux. Mais sa pratique est révolutionnaire. A cette époque, les grandes planches photographiques imitant la peinture identifient le photographe sérieux; avec son petit appareil, Kertész est beaucoup plus absorbé par sa joie de vivre et son respect pour la vie que par des considérations sur son isolement esthétique.

Cette vision change alors que Kertész se bat lors de la Première Guerre mondiale, puis après la guerre, lorsqu'il travaille à la bourse de Budapest et qu'il éprouve les frustations de l'artiste obscur embourbé dans un métier mondain. Des personnages dépossédés — des gitans, des mendiants, des soldats faisant leurs adieux —

apparaissent dans son œuvre, mais ils s'accordent mal avec ses limites. Kertész commence également à expérimenter des structures d'images tendues, des distorsions et des tirages inversés; il découvre tout seul ce que partout les artistes modernistes sont en train de consolider : l'indépendance de l'œuvre d'art par rapport au monde qu'elle décrit.

Néanmoins, son œuvre soutient sa propre illusion de libéralisme, et sa maturité d'esprit ainsi que sa conscience grandissante de l'aliénation contredisent sa vision d'un monde doux, mystérieux, et beau. Cette photographie sans précédent éloigne encore plus Kertész des cercles de la photographie traditionnelle mais le conduit vers l'avant-garde de Budapest.

Pour un artiste hongrois, un séjour dans une capitale européenne est alors un passage obligé. Mais pour Kertész, son départ pour Paris correspond à la recherche d'une nouvelle famille artistique. Des artistes aussi différents que Mondrian ou les surréalistes vont reconnaître certains aspects de leurs propres préoccupations dans son travail. Bientôt il expose et publie dans les cercles avant-gardistes. C'est encore l'enfance du reportage photographique européen, et Kertész en devient rapidement l'un des pionniers les plus largement publiés et une référence stylistique. Kertész s'imprègne beaucoup de son nouveau milieu. Des allusions à l'abstraction, au collage, à la surface plane commencent à apparaître dans son travail. Dans ses photographies troublantes de Paris vu du dessus et dans ses nus distordus de 1933, la tension originale entre le motif en surface et la profondeur de l'espace devient spécifiquement moderniste. La vie de la capitale – ses styles, son mouvement, sa modernité – remplacent son intérêt précédent pour la vie provinciale. Alors que Kertész prend place parmi les artistes émigrés de Paris, des portraits de Mondrian, Chagall, Calder, Eisenstein et d'autres apparaissent.

Mais il reste en contact avec la vie quotidienne; ses bals musettes, musics-halls et foires de rues reflètent un goût surréaliste pour l'art populaire. Et les portraits de vagabonds ou de vétérans blessés témoignent de sa profonde compréhension de la misère humaine. Pourtant, dans cette cité d'émigré qu'il décrit, c'est le charme et la camaraderie qui ont cours.

L'accès de Kertész à la grâce et à la surprise qui ponctuent le flux quotidien de la vie dans les rues est facilité par l'invention nouvelle de l'appareil Leica, qu'il est le premier photographe sérieux à maîtriser.

Sa simplicité et sa rapidité permettent une observation discrète de moments intimes et plusieurs variantes d'une image initiale en quelques secondes; avec lui, Kertész sent des possibilités illimitées. Dans *Meudon, 1928,* un homme qui porte ce qui ressemble à un tableau enveloppé d'un journal traverse une rue de banlieue encombrée. Au bout de la rue, un train jette sa vapeur sur un viaduc qui évoque aussi bien la Rome antique que le monde de Chirico. Avec de telles photographies, Kertész embrasse la fascination du modernisme pour le hasard et la disjonction. Sa photographie parisienne va et vient à travers les frontières stylistiques de la scène de genre, de la littéralité documentaire et de l'abstraction; il crée un amalgame stylistique dont l'esprit est proche du mélange des styles utilisé par les cubistes de la dernière époque dans un seul et même tableau. Il s'établit lui-même comme un façonneur de l'art d'une capitale moderniste. Dans l'œuvre parisienne, le personnage du photographe est également libre : il ne tient pas vraiment aux biens de ce monde, il est un tant soit peu détaché de l'histoire, il gouverne le temps, observe le style et crée son espace urbain autant qu'il le décrit. Voici un personnage idéalisé dont le foyer est l'art. Mais à New York, l'histoire et le hasard transforment l'émigration volontaire en exil. Parce que Kertész ne peut adapter son travail aux attentes américaines, son pluralisme de styles va à son encontre. Alors l'art devient un refuge.

Il continue à photographier d'en haut, par exemple, comme il l'avait fait à Paris, mais la ville qu'il crée est lointaine et vide, ses citoyens réduits au silence, rabougris, en attente. Alors que Kertész se retire de la vie publique, son style se dépouille de sa précédente amplitude spatiale et descriptive et devient précis, sans relief, angulaire et abstrait; ses surprises procèdent moins du flux de la ville que de l'arbitraire du photographe. Son esprit devient mordant et grotesque alors que des bras sans corps et des personnages sans tête – c'est souvent la fonction des cadres de ses photographies – hantent les rues elles-mêmes soudain isolées de leur contexte plus général. Cette œuvre se distancie avec ironie de ses sujets, sa beauté picturale est une affirmation du pouvoir de l'artiste. C'est une affaire privée.

Après avoir quitté Condé Nast en 1962, et avec le retour progressif de la reconnaissance, l'œuvre de Kertész tend à une complexité et une délicatesse renouvelées, spécialement dans les scènes du parc de Washington Square vu d'en haut. Mais même ici, les personnages, bien qu'ils soient à l'aise dans le dédale luxuriant du parc, remarquent difficilement sa beauté que nous percevons comme un élément de l'élaboration stylistique de l'artiste. Le grand point fort de Kertész suggère sa propre distance émotionnelle et un souci de l'artifice. L'humour de Kertész réapparaîtra réellement seulement au cours de quelques voyages à l'étranger après 1934 dans des images qui semblent aussi plus instantanées que fabriquées. Mais ici, comme dans la plupart de ses œuvres depuis 1936, il n'y a pas de véritable retour à l'imagerie des bâtiments publics et des cafés qui ont déjà situé l'œuvre et l'esprit de Kertész dans l'espace social.

Pendant les trente-deux dernières années de sa vie, Kertész vivra dans un appartement situé à un étage élevé au-dessus du parc de Washington Square à Greenwich Village. Malgré des problèmes occasionnels qui surviennent au cours des dix dernières années de sa vie à cause de vertiges et de tremblements dans les mains, il continue à photographier sans arrêt, faisant des contraintes de l'âge la condition d'une nouvelle créativité.

Depuis le balcon de son appartement, Kertész pointe son appareil photographique sur l'allée MacDougal, où les branches s'enchevêtrent avec leur ombre sur la neige. Bien que la légèreté parisienne se soit transformée en vertige et que les nuits soient plus froides que lorsqu'il apprenait à les photographier à Budapest en 1917, il photographie avec la facilité et l'économie d'un virtuose, transformant le peu de sujets à sa portée en une imagerie saisissante qui rappelle l'esprit et le charme de ses œuvres de jeunesse. Kertész orchestre les personnages dans le parc dans des scènes qui ont la délicatesse de la dentelle et qui évoquent Brueghel... ou Kertész. Bien que dans ces photographies plus tardives les personnages ne soient pas plus petits ou plus éloignés que dans les images parisiennes ou de Budapest, ils sont souvent de frêles silhouettes, et sont plus éloignés de la vie que leurs pendants plus anciens.

A New York au début, comme à Budapest au début, Kertész travaille seul. Mais à Budapest, la reconnaissance était arrivée vers le début des années 1920; à New York, Kertész devra attendre vingt-huit ans sa première exposition personnelle au Museum of Modern Art. Parce que le monde de l'art l'ignorait et s'éloignait de son travail avec force, il fallait que la confirmation de sa valeur constante vienne de l'intérieur, de l'œuvre elle-même.

Au cours des quinze dernières années de sa vie, il passe beaucoup de temps à publier des œuvres anciennes. Mais

il continue aussi à photographier. Certain que son art se confond avec le monde, il photographie le monde comme s'il était une série de variations sur ses propres images.

En utilisant abondamment de beaux objets collectionnés tout au long de sa vie, Kertész élabore des rencontres sur son bureau et les appuis de ses fenêtres. Il photographie avec un toucher si léger que les scènes de la Vénus de Boticcelli en verre, une Sainte Cène en pierre et des objets plus mondains paraissent observées, pas arrangées. Elles évoquent les images de rues plus anciennes et leur poésie de hasard. Elles nous ramènent aussi vers les natures mortes que Kertész avait faites dans la maison de Mondrian et l'atelier de Léger plus de cinquante ans auparavant. Mais dans ces œuvres, les lunettes, les bibelots et les œuvres d'art sont ceux de Kertész. Leurs emplacements — bordures de fenêtres, bureau jonché de correspondance, étagères remplies de livres d'art, y compris ceux de Kertész — décrivent le cadre de ce travail tardif : l'extrême intimité de l'appartement, le passé, le public nouvellement conquis par Kertész, et la mort.

Alors que le monde et son œuvre se fondent, le monde que Kertész décrit représente ses pensées et ses émotions les plus secrètes. Les natures mortes sont des hommages à l'amour, des éclats de colère, des adieux à la chair, et des pressentiments de mort.

Kertész avait photographié des oiseaux tout au long de sa carrière. Ils faisaient allusion à son esprit créatif, à son sentiment d'emprisonnement et d'oubli. Qu'ils volent avec leur ombre ou qu'ils soient en verre et perchés sur le rebord de sa fenêtre, ils deviennent des métaphores pour un photographe qui hésite entre la vie et l'attente de la mort, qui se voit lui-même comme faisant déjà partie de l'histoire de l'art, bien qu'il soit encore engagé dans la création de nouveaux travaux.

Depuis le début, la photographie de Kertész aura été louée pour sa description de vues ordinaires comme si le photographe les voyait pour la première fois avec un regard d'enfant étonné et une expression spontanée des sentiments. En se tournant vers le symbolisme à la fin de sa vie, il trouvera la possibilité de regarder la mort s'approcher, la célébrité artistique et la transformation de l'amour actif en mémoire active, avec la candeur, l'enjouement et la curiosité de ses images les plus anciennes, qui nous avaient persuadés qu'il regardait seulement le monde.

Ben Lifson, New York 1982

CHRONOLOGIE

1894

Kertész naît à Budapest, Hongrie.

1912

Diplômé de l'Académie de commerce de Budapest, il est employé comme commis à la Bourse.
Il achète son premier appareil photographique.

1913

Il achète un ICA Bebe (avec des plaques de 4,5 × 6 cm) et un Voigtländer Alpine (avec des plaques de 9 × 12 cm).

1914-1918

Engagé dans l'armée austro-hongroise, il est blessé en 1915.
Il photographie derrière les lignes et pendant la Commune avec un Goerz Tenax (avec des plaques de 4,5 × 6 cm). La plupart des négatifs de Kertész sont détruits lors de la révolution hongroise.

1916

Il est primé par le magazine *Borsszem Janko* pour un autoportrait satirique lors d'un concours de photographies de guerre.

1917

Il publie ses premières photographies dans *Erdekes Ujsag* (un vieux magazine illustré précurseur de *Life*). Il fera la première de couverture en 1925.

1918

Il reprend son emploi à la Bourse de Budapest.

1923

L'Association des photographes amateurs hongrois lui décerne une médaille d'argent, mais à condition qu'il tire sa photographie dans le style pictorialiste de l'époque. Il refuse la médaille et accepte un diplôme à la place.

1925

Il part pour Paris.

1925-1928

Il fait des reportages pour les publications suivantes : France – *Le sourire, Variétés, Le Matin, L'instransigeant, Art Vivant;* Allemagne – *Uhu, Frankfurter Illustrierte, Berliner Illustrierte Zeitung, Strasburger Illustrierte, Münchner Illustrierte Presse, Kölnische Illustrierte Zeitung, Illustrierte Zeitung Leipzig, Die Dame, Das Illustrierte Blatt, Neue Jugend, Das Tageblatt, Die Photographie;* Italie – *La Nazione Firenze;* Grande-Bretagne – *The Times, The Sketch, The Sphere.*

1927

Il obtient sa première exposition personnelle à la Galerie «Au Sacre du Printemps» à Paris.

1928

Il achète son premier Leica. Il expose au «Premier salon des photographes indépendants» au Théâtre des Champs-Elysées. Le magazine *Vu* commence à paraître. Kertész en sera l'un des principaux collaborateurs jusqu'en 1936. Il collabore à la revue *Bifur* avec Ribemont-Dessaignes (jusqu'en 1930).

1929

Les Staatliche Museen Kunstbibliothek à Berlin et le König-Albert Museum à Zwickau lui achètent des photographies. Expositions : «Contemporary Photography» à Essen. «Film und Foto» à Stuttgart.

1930

Il reçoit une médaille d'argent à l'Exposition coloniale à Paris. Il expose des photographies à Munich et devient l'un des principaux collaborateurs à *Art et Médecine*.

1932

35 des ses photographies sont présentées lors de l'exposition «Modern European Photography» à la Galerie Julien Levy à New York. Il expose aussi à Bruxelles.

1933

Il se marie avec Elisabeth Sali à Budapest. Publication de son premier livre: *Enfants,* texte de Jaboune, Editions d'Histoire et d'Art, Paris. 54 photographies.

1934

Il expose 10 photographies avec 10 autres photographes chez le décorateur Leleu à Paris. Exposition: «Groupe annuel des Photographies», Galerie de la Pléiade, Paris. Publication: *Paris vu par André Kertész,* texte de Pierre MacOrlan, Editions d'Histoire et d'Art, Paris. 48 photographies.

1936

Il part pour New York et signe un contrat d'un an avec les Keystone Studios, l'une des principales agences d'illustration photographique des années 1930, sous la direction d'un camarade hongrois, Ernie Prince. Publication: *Nos amies les bêtes,* texte de Jaboune, Editions d'Histoire et d'Art, Paris, 60 photographies.

1937

Des photographies sont publiées dans *Look,* mais attribuées à Ernie Prince. Expositions: «Photography 1839-1937», Museum of Modern Art, New York, cinq photographies sélectionnées par Beaumont Newhall. «Pioneers of Modern French Photography», Galerie Julien Levy, New York. Publication: *Les cathédrales du vin,* texte de Pierre Hamp, Etablissement Sainrapt et Brice, Paris, 28 photographies.

1937-1949

Il travaille comme photographe indépendant pour *American Magazine, Collier's, Coronet, Harper's Bazaar, House and Garden, Look, Town and Country* et *Vogue.*

1939

Il devient un «étranger ennemi». Il lui est interdit de photographier à l'extérieur.

1944

Il devient citoyen américain.

1945

Publication: *Day of Paris,* Sous la direction de Georges Davis, J.J. Augustin, New York. 126 photographies.

1946

Exposition personnelle à l'Art Institute of Chicago.

1949

Il rejoint les éditions Condé Nast sous contrat exclusif.

1962

Il résilie son contrat avec les éditions Condé Nast. Exposition personnelle à la Long Island University, New York. Catalogue: *Kertész at Long Island University,* texte de Nathan Resnick.

1963

Expositions: Rétrospective, IV Mostra Biennale Internazionale della Fotografia, Venise. Le Lion d'or lui est décerné. Un catalogue est publié. Modern Age Studio, New York. Bibliothèque Nationale, Paris, catalogue: *André Kertész – Photographies,* Introduction d'Alix Gambier.

1964

Exposition personnelle au Museum of Modern Art, New York. Publication: *André Kertész, Photographer,* texte de John Szarkowski, MOMA, New York, 64 photographies.

1965

Il est reçu comme membre honoraire de l'American Society of Magazine Photographers. Invité d'honneur à la Miami Conference on Communication Arts, University of Miami, Coral Gables, Floride.

1966

Publication: *André Kertész,* texte d'Anna Farova, Cornell Capa et Robert Sagalyn, rédacteurs associés, Grossman Publishers, Paragraphic Books, New York, 76 photographies.

1967

Exposition «The Concerned Photographer» au Riverside Museum. Un catalogue est publié. Grossman Publishers, New York.

1968

«The Concerned Photographer», Matsuya, Tokyo.

1970

Il expose 10 photographies dans le Pavillon américain à l'Exposition Universelle de Tokyo.

1971

Expositions personnelles: Moderna Museet, Stockholm. Magyar Nemzeti Galeria, Budapest. Publication: *On Reading,* Grossman Publishers, New York.

1972

Expositions: Photographer's Gallery, Londres. Valokuvamuseon, Helsinki. Hallmark Gallery, New York. Light Gallery, New York. Publication: *André Kertész, Sixty Years of Photography, 1912-1972,* par Nicolas Ducrot, Grossman Publishers, New York, 219 photographies.

1973

Expositions: Hallmark Gallery, New York. Light Gallery, New York.

1974

Publication: *J'aime Paris: Photographs since the Twenties,* par Nicolas Ducrot, Grossman Publishers, New York, 219 photographies.

1975

Invité d'honneur à Arles. Publication: *Washington Square,* introduction de Brendan Gill, Grossman Publishers, New York, 104 photographies.

1976

Il est nommé Commandeur des Arts et des Lettres par le gouvernement français. Expositions: Wesleyan University, Middletown, Connecticut. Services culturels français, New York. Publications: *Distorsions,* introduction par Hilton Kramer, Alfred A. Knopf, New York, 200 photographies. *Of New York,* Alfred A. Knopf, New York, 184 photographies.

1977

Elizabeth meurt le 21 octobre.
Expositions: Rétrospective au Musée national d'Art moderne,
Centre Pompidou, Paris. Catalogue: *André Kertész,* Editions
Contrejour, Paris, 72 photographies. «Sympathetic explorations:
Kertész/Harbutt», Plains Art Museum, Moorhead, Minnesota.
Catalogue, 24 planches par Kertész. «Documenta 6» à Kassel.
Publication: *André Kertész,* texte de Carol Kismaric, Millerton,
New York, Aperture Inc. The History of Photography Series,
44 photographies.

1978

«Neue Sachlichkeit and German Realism», Hayward Gallery,
Londres.

1979

Serpentine Gallery, Londres. Catalogue: *André Kertész,* texte
de Collin Ford, The Arts Council of Great Britain, Londres.
«La photographie française 1925-1940», Galerie Zabriskie,
Paris, New York. Publications: *America, Birds, Landscapes*
et *Portraits,* par Nicolas Ducrot, Mayflower Books Inc.,
New York. Chacun contient 64 photographies.

1980

Il reçoit la médaille de la Ville de Paris et le premier prix annuel
de l'Association of International Photography Art Dealers,
New York. Expositions: Salford University, Salford,
Rétrospective. Israel Museum, Jérusalem, rétrospective.
Publication: *André Kertész,* par Agathe Gaillard, Pierre Belfond,
Paris, 16 photographies.

1981

Il reçoit un doctorat honorifique de Beaux Arts du Bard College,
Annandale-on-Hudson, New York. Rétrospective au Cornell Fine
Arts Center, Rollins College, Winter Park, Floride. Publication:
From my window, introduction de Peter Mac-Gill, New York
Graphic Society, Boston, 53 photographies Polaroid SX70.

1982

Il reçoit à Paris le Grand Prix national de la Photographie.
Expositions: Canadian Centre for Photography, Toronto.
Susan Harder Gallery, New York. Varmuseum, Esztergom.
«André Kertész: Master of Photography», The Chrysler
Museum, Norfolk (catalogue). «André Kertész, Vintage
Fotografien aus der Zeit von 1925 bis 1930», Galerie Wilde,
Cologne (catalogue). Publication: *Hungarian Memories,*
introduction de Hilton Kramer, New York Graphic Society,
Little Brown and Co., Boston, 144 photographies.

1983

André Kertész est décoré de la Légion d'Honneur.
«André Kertész: Form and Feeling», Sheldon Memorial Art
Gallery, Lincoln (catalogue). Publication: *André Kertész,* texte
d'Attilio Colombo, Fabbri, Milan, Coll. «I grandi fotografi».

1984

André Kertész signe l'acte de donation à l'Etat français de tous
ses négatifs et correspondances. Expositions: Galerie de Vigado,
Budapest. National Museum of Photography, Film and
Television, Bradford. Publications: *André Kertész:
The Manchester Collection,* texte d'Henri Cartier-Bresson, Harold
Riley, Mark Haworth-Booth, Lady Marina Vaisey,
Weston J. Naef, Colin Ford, Charles Harbutt, The Manchester
Collection, Manchester, 302 photographies. *André Kertész,
Magyarorszagon,* sous la direction de Janos Bodnar, Fötofoto,
Budapest, 50 photographies.

1985

Expositions: «André Kertész of Paris and New York», Chicago,
The Art Institute. Metropolitan Museum of Art, New York.
«Diary With Light», Ernesto Mayens Gallery, Santa Fe. Museo
de Bellas Artes, Buenos Aires. «Of New York, 1980-1984»,
Edwynn Hank Gallery, Chicago. «André Kertész,
a portrait at ninety», International Center of Photography,
New York. «Distorsions», Fondation nationale de la
photographie, Lyon.
André Kertész meurt le 28 septembre à New York.
Publication: *André Kertész,* introduction de Danièle Sallenave,
Photopoche n°17, Paris.

1986

Palais de Tokyo, Paris. Publications: *André Kertész Shashindu,*
par Susan Harding et Hiroji Kubota, textes de Hal Hinson
et Cornell Capa, Iwanami Shoten, Tokyo. *André Kertész,
Diary of Light 1912-1985,* Aperture Inc., New York.

1987

«André Kertész: Diary of Light 1912-1985», International Center
of Photography, New York. «André Kertész, photographe»,
Musée Jacquemart-André, Paris. Publication: *André Kertész,
soixante-dix années de photographies,* Hologramme, Paris,
152 photographies.

1989

Un autoritratto: André Kertész, Art &.

1992

Stranger to Paris, Galerie Au Sacre du Printemps, 1927,
Jane Corkin Gallery, Toronto.

Penelope A. Dixon

1975

ILLUSTRATIONS

PAGE

Frontispice : Washington Square,
New York, 1969.
11 Sans titre, New York, 1975.
13 Le baiser, Budapest, 1915.
14 Jeune homme endormi, Budapest, 1915.
15 Le geste affectueux, Bilinski, 1915.
16 Le cirque, Budapest, 1920.
17 A la terrasse d'un café, Paris, 1928.
18 Fête à Montmartre après le premier ballet
   futuriste, Paris, 1928.
19 Hôtel du Réveil aux Batignolles,
   Paris 1927.
20 Le café du Dôme, Paris, 1925.
21 Deux amies aux Jardin
   du Luxembourg, Paris 1963
22 Clochards, Paris, 1930.
23 Sans titre, Meudon, 1928.
24 Le banc cassé, New York, 1962.
25 Quai d'Orsay, Paris, 1926.
26 L'église de Piana, 1932.
27 Hospices de Beaune, 1929.
28 Tisza-Szalka, Hongrie, 1924.
29 Convoi militaire à Braila, Roumanie, 1918.
30 Violoniste ambulant, Abony, Hongrie, 1921.
31 Trio, Raczkeve, 1923.
32 Le quatuor Ferenc Roth, Paris, 1926.
33 Enfants gitans, Esztergom, 1917.
34 Marché aux animaux, Paris, 1928.
35 Les joueurs de cartes, Paris, 1926.
36 Ernest, Paris, 1931.
37 Les petites oies, Esztergom, 1918.
38 Sans titre, Arles, 1979.
39 Fillette gitane, Arles, 1979.
40 Boulevard Malesherbes à midi, Paris, 1925.
41 Place de l'Opéra, Paris, 1929.
42 Rue Saint-Denis, Paris, 1931-1934.
43 Boulevard de la Madeleine, Paris, 1926-1927.
44 Sur les boulevards, Paris, 1934.
45 Rue du Château, Paris, 1932.
46 Carrefour de Blois, 1930.
47 Notre Dame, Paris, 1980.
48 La sieste des clochards, vue du Pont-au-
   Change, Paris, 1927.
49 Sans titre, Arles, 1979.
50 Les ombres de la Tour Eiffel, Paris, 1929.
51 Le Pont des Arts à travers l'horloge
   de l'Académie française, Paris, 1929-1932.
52 Sans titre, Chartres, 1977.
53 Sans titre, Touraine, 1930.
54 Sans titre, Arles, 1979.
55 «Achetez...», Université de Long Island,
   New York, 1962.
56 Jour de pluie, Tokyo, 1968.
57 Ombres, Paris, 1931.

58 Boksai Ter, Budapest, 1914.
59 La place de la Concorde un jour
   de pluie, Paris, 1928.
60 Washington Square, New York, 1954.
61 Washington Square, New York, 1966.
62 Sans titre, New York, 1978.
63 Washington Square, New York, 1954.
64 MacDougal Alley, New York, 1977.
65 MacDougal Alley, New York, 1977.
66 Sans titre, New York, 1978.
67 MacDougal Alley, New York, 1978.
68 La fenêtre en septembre, New York, 1970.
69 Une journée ensoleillée, New York, 1978.
70 Washington Square, New York, 1978.
71 Washington Square, New York, 1964.
72 Sans titre, Malaga, 1975.
73 Les escaliers de Montmartre, Paris, 1925.
74 Sans titre, Paris, 1980.
75 Station de chemin de fer, New York, 1937.
76 Mauna Kea, Kamuela, Honolulu, 1974.
77 Sans titre, Martinique, 1972.
78 Sans titre, Paris, 1980.
79 Trottoir, Paris, 1929.
80 Aux Halles, Paris, 1928.
81 Les fils du téléphone, Paris, 1927.
82 Près du Pont de Grenelle, Paris, 1927.
83 Sans titre, New York, 1963.
84 Sans titre, New York, 1977.
85 Washington Square North, New York, 1958.
86 Le nuage de fumée, Toronto, 1979.
87 Le nuage perdu, New York, 1937.
88 Ile Saint-Louis, Paris, 1980.
89 Washington Square, New York, 1959.
90 Washington Square, New York, 1978.
91 Elizabeth, Paris, 1931.
92 Autoportrait, Paris, 1927.
93 Paul Dermée, Enrico Prampolini, Michel
   Seuphor et leur radiophone, Paris, 1927.
94 Tristan Tzara, Paris, 1926-1927.
95 Lajos Tihanyi, Paris, 1926.
96 Colette, Paris, 1930.
97 Piet Mondrian dans son atelier, Paris, 1929.
98 Miss Johnson, Paris, 1927.
99 Eisenstein, Paris, 1929.
100 Elizabeth et moi au café
    à Montparnasse, Paris, 1931.
101 Marc et Bella Chagall, Paris, 1929-1933.
102 Manuel Alvarez Bravo, Arles, 1979.
103 Umbo, Berlin, 1979.
104 Vanessa Harwood, Toronto, 1981.
105 Portrait sur une sphère, Paris, 1927.
106 Distorsion, New York, 1967.
107 Distorsion n°40, Paris, 1933.
108 Distorsion n°82, Paris, 1933.
109 Nageur sous l'eau, Esztergom, 1917.

110 Distorsion, New York, 1943.
111 La tulipe mélancolique, New York, 1939.
112 Sans titre, New York, 1978.
113 Sans titre, New York, 1978.
114 Sans titre, New York, 1978.
115 L'oiseau à ma fenêtre, New York, 1978.
116 Sans titre, New York, 1978.
117 Sans titre, New York, 1978.
118 Sans titre, New York, 1978.
119 Mon casier à livres, New York, 1978.
120 Sans titre, New York, 1978.
121 Le premier matin au 2 Fifth Avenue,
    New York, 1972.
122 Chez moi, New York, 1977.
123 Sans titre, New York, 1977.
124 A ma fenêtre, New York, 1958.
125 Sans titre, New York, 1977.
126 La fourchette, Paris, 1928.
127 Les lunettes et la pipe de Mondrian,
    Paris, 1926.
128 Les fleurs pour Elizabeth, New York, 1976.
129 Sur ma table : le geste éternel 1915-1978,
    New York, 1979.
130 Chez Mondrian, Paris, 1926.
131 Sans titre, New York, 1974.
132 Une journée pluvieuse, New York, 1977.
133 Pigeon, New York, 1978.
134 Square du Vert Galant, Paris, 1963.
135 Le pigeon qui se pose, New York, 1960.
136 Le pigeon mort, Paris, 1980.
137 Sans titre, Paris, 1980.
138 Sans titre, Tudor City, 1962.
139 Sopron, Hongrie, 1971.
140 Sans titre, New York, 1977.
141 Le grand bassin des Tuileries, Paris, 1963.
142 Jardin des Tuileries, Paris, 1980.
143 Jardin des Tuileries, Paris, 1980.
144 Les chaises à Paris, 1927.
145 Champs-Elysées, Paris, 1929.
146 Jardin du Luxembourg, Paris,
    3 novembre 1980.
147 Chaises, Paris, 1925.
148 L'incorrigible, Paris, 1930.
149 La nature morte sur le toit, New York, 1977.
150 Fenêtre, Paris, 1928.
151 Etude de nu, New York, 1939.
152 Danseuse burlesque, Paris, 1926.
153 Sans titre, New York, 1976.
154 Le cheval blanc, New York, 1962.
155 La disparition, New York, 1955.
156 Le retour au port, New York, 1944.
157 Le ventilateur, New York, 1937.
158 Mascarade à Toronto, Toronto, 1981.
159 Chevaux de bois, Paris, 1929.
160 Le lion et l'ombre, New York, 1942.

1915

1912

1915

1920

1928

1928

1927

1925

1963

1930

1928

1962

1926

1932

1929

1924

1918

1921

1923

1926

1917

1928

1926

1931

1918

1979

1979

1925

1929

1934

1927

1934

1932

1930

1980

1927

1979

1929

1932

1977

1930

1979

1962

1968

1931

1914

1928

1954

1966

1978

1954

1977

1977

1978

1978

1970

1978

1978

1964

1975

1925

1980

1937

1974

1972

1980

1929

1928

1927

1927

1963

1977

1958

1979

1937

1980

1959

1978

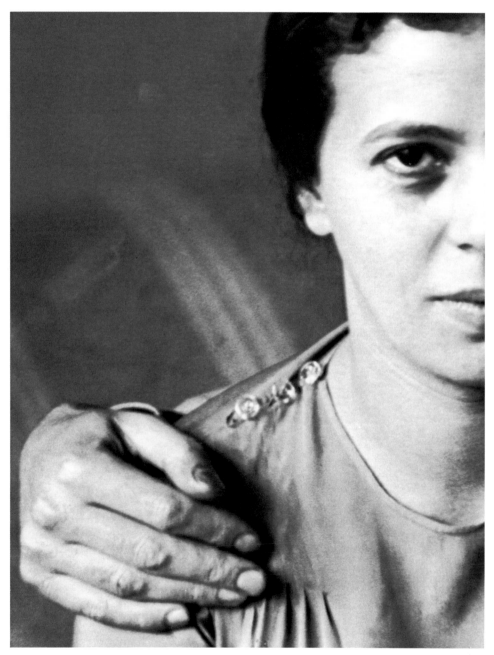

1931

1927

1927

1926

1926

1930

1926

1927

1929

1931

1933

1979

1979

1981

1927

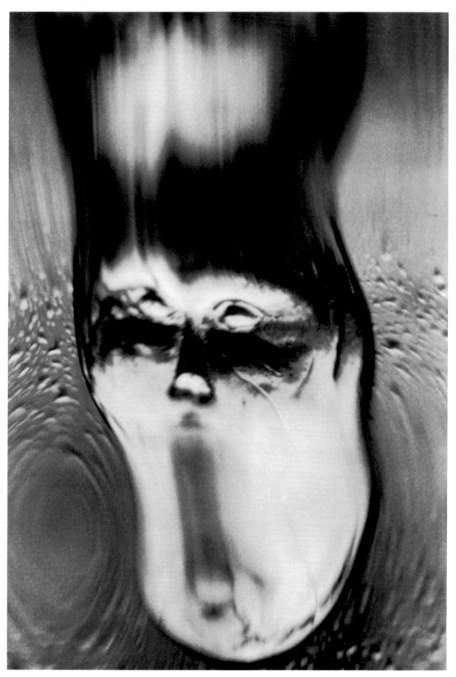

1967

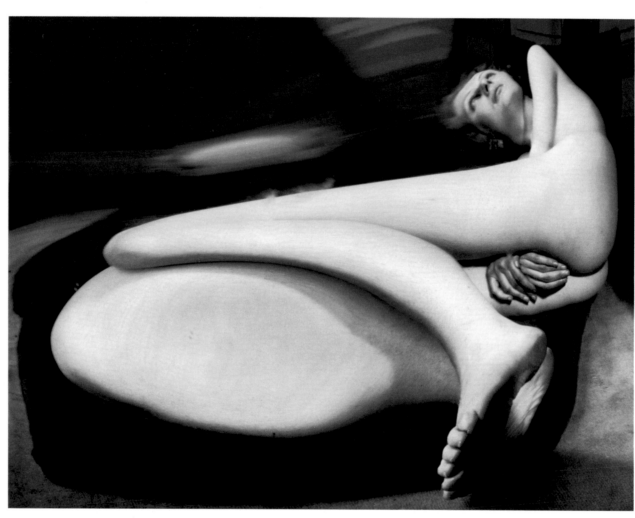

1933

1933

1917

1943

1939

1978

1978

1978

1976

1978

1978

1978

1978

1978

1972

1977

1977

1958

1977

1928

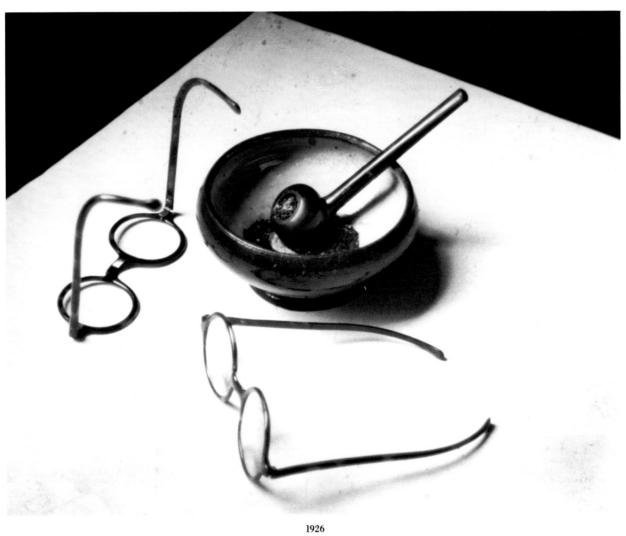

1926

1976

1978

1926

1974

1977

1978

1963

1960

1980

1980

1962

1971

1977

1963

1980

1980

1927

1929

1980

1925

1930

1977

1928

1939

1926

1976

1962

1955

1944

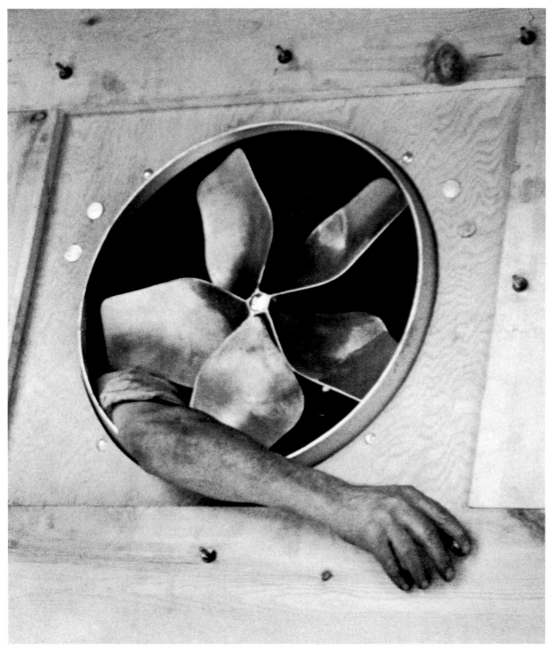

1937

1981

1929

1942